**FOLIO CADET**

Traduit de l'anglais par Olivier de Broca

Maquette : Karine Benoit

ISBN : 2-07-054976-3
Titre original : *The Cat Mummy*
Édition originale publiée par Doubleday,
une division de Transworld Publishers, 2001
© Jacqueline Wilson, 2001, pour le texte
© Nick Sharratt, 2001, pour les illustrations
© Éditions Gallimard Jeunesse, 2002, pour la traduction
Nº d'édition : 145531
Loi nº 49-956 du 16 juillet 1949
sur les publications destinées à la jeunesse
Premier dépôt légal : mars 2002
Dépôt légal : juin 2006
Imprimé en Espagne par Novoprint (Barcelone)

Jacqueline Wilson

# MA CHÈRE MOMIE

illustré par Nick Sharratt

GALLIMARD JEUNESSE

*Pour Nancy (qui adore les chats)*

## MABEL

Vous avez un animal à la maison ? Ma meilleure amie Carole vient d'avoir quatre chatons, Champion, Terrible, Baby et Chic. Ma deuxième meilleure amie Laura a un labrador qui s'appelle Poubelle. Mon copain Aaron a aussi un chien, un bâtard dont le vrai nom est Pastille de Réglisse – Réglisse pour les intimes. Ma pire ennemie Moyra a un boa constrictor qu'elle a baptisé

Stranglor. Du moins, c'est ce qu'elle prétend. Comme je ne suis jamais allée chez elle, elle peut raconter n'importe quoi.

Carole a de la chance ! J'adore jouer avec ses chatons. Ils sont tellement mignons, à gambader partout. Parfois, quand ils renversent un objet ou tirent les franges des rideaux, la maman de Carole se fâche. Mais elle a beau les menacer du doigt, ils s'en contrefichent. La seule chose qui leur fasse un peu peur, et encore, c'est une petite grenouille mécanique. Avant, ils s'enfuyaient ventre à terre en la voyant mais depuis peu Terrible se risque à allonger une patte pour l'attraper. Je pourrais jouer toute la journée avec les chatons de Carole.

Une fois, je suis allée goûter chez Laura et j'ai fait la connaissance de Poubelle. C'est un chien au pelage clair, avec de grands yeux noirs et luisants. Quand on lui tend la main, il donne la patte. Je comprends pourquoi on l'a appelé Poubelle. Il mange tout ce qu'il trouve ! En principe, il est au régime parce qu'il a tendance à grossir mais il est tout le temps en chasse de nourriture. Il a un faible pour les chips. Il lèche même l'intérieur du paquet.

Réglisse, le chien d'Aaron, a un sacré coup de langue, lui aussi. Souvent, il nous accompagne au parc après l'école. Mamie et la maman d'Aaron font causette sur un banc en gardant sa petite sœur Aimée pendant que nous emmenons Réglisse en promenade. Puis nous faisons un tour de manège. Réglisse s'assoit sur les genoux de son maître et il se met à aboyer à cœur joie.

Parfois, si on insiste, Mamie et la mère d'Aaron nous achètent une glace à l'entrée du parc. Aaron partage toujours la sienne avec Réglisse. Un jour, par souci d'équité, j'ai voulu en faire autant mais Mamie m'en a empêchée. Elle a murmuré que c'était sale, à cause des microbes du chien. Il faut dire que ma grand-mère a la phobie des microbes. D'ailleurs, elle ne raffole pas des animaux familiers. A l'exception de Mabel.

Je me demande ce qu'elle dirait si elle voyait Stranglor, le serpent de Moyra. En fait, je ne sais pas non plus comment je réagirais. Honnêtement, je ne suis pas fanatique des serpents. En classe, Moyra est assise derrière moi. Aujourd'hui, elle s'est penchée en avant et elle a enroulé un bras autour de mon cou en sifflant :

– Attention, Sofia, Stranglor arrive !

Je savais bien que c'était Moyra et de toute façon, je suis prête à parier que Stranglor n'existe pas... mais j'ai quand même poussé un cri. Toute la classe a éclaté de rire. Moyra riait tellement qu'elle a failli mouiller sa culotte. Mlle Smith ne m'a pas grondée. Elle s'est contentée de hausser ses jolis sourcils noirs :

— Allons, les filles, du calme.

J'adore Mlle Smith. C'est ma nouvelle maîtresse, la meilleure de toutes. Je déteste Moyra. Si Stranglor existe vraiment, j'espère qu'un beau matin, au réveil, il va la prendre pour une souris géante, avec ses petits yeux ronds et son nez en trompette, et L'AVALER TOUTE CRUE.

Pour rien au monde je ne voudrais d'un serpent à la maison, mais au moins j'aurais quelque chose d'excitant à raconter.

Moi aussi, j'ai un animal. C'est une chatte tigrée qui s'appelle Mabel. Je l'aime beaucoup mais elle est ennuyeuse à mourir. Elle ne fait jamais rien. A part dormir. Parfois, en partant à l'école, je la laisse en boule sur mon lit et à mon retour, elle est toujours là, exactement dans la même position. La nuit, elle ne sort jamais en maraude, elle ne va pas s'encanailler avec de gros matous. Ce n'est pas le genre de Mabel.

Elle reste à la maison, somnole la journée et dort la nuit, sur mon lit. Elle se couche sur mes pieds et me les réchauffe comme une bouillotte. D'ailleurs, elle est à peu près

aussi vive et joueuse qu'une bouillotte. J'ai du mal à imaginer qu'elle a été autrefois un adorable chaton comme Champion, Terrible, Baby ou Chic. Je pourrais lui faire passer une grenouille mécanique sur le corps qu'elle ne bougerait pas un poil de moustache. Elle n'a jamais levé ni tué aucun gibier de sa vie. Elle ne sait même pas que les chats sont censés chasser pour se nourrir. Quand elle a faim, elle trottine jusque dans la cuisine et attend tranquillement que Mamie lui ouvre une boîte de Whiskas. C'est même son seul exercice de la journée.

– Tu oublies que Mabel est très, très vieille, me répète Mamie.

Si loin que je me souvienne, Mabel a toujours été très, très vieille. Elle appartenait à ma maman.

Je n'ai pas de maman. Elle est morte le jour de ma naissance. C'est à peu près tout ce que je sais d'elle. Mamie ne peut pas prononcer son nom sans que ses yeux se remplissent de larmes. Papy se met à pleurer, lui aussi. Du coup, je ne parle jamais de ma maman parce que je ne veux pas leur faire de peine.

J'ai un papa mais je ne le vois pas souvent parce qu'il est déjà parti au bureau quand je me réveille et il est rarement rentré à l'heure où je me couche. Une fois, j'ai entendu Mamie dire que mon père était marié à son travail. Du moment qu'il n'épouse pas une vraie femme... Je ne veux pas d'une belle-mère.

J'ai lu des tas d'histoires sur les belles-mères. Elles n'ont pas très bonne réputation. Laura a un beau-père qu'elle ne porte pas vraiment dans son cœur. C'est lui qui a mis Poubelle au régime. Il a ajouté que la mère de Laura devrait en faire autant et il a eu des mots désobligeants à propos de son gros derrière – alors qu'elle n'y peut rien.

Heureusement, papa n'a de vue sur aucune femme, avec petit ou gros derrière. Il ne parle presque jamais de maman mais un jour, il a dit qu'elle était la plus jolie du monde et que personne ne pourrait jamais la remplacer. Ça a été un grand soulagement pour moi.

J'adore mon papa. Parfois, le samedi, nous partons en virée, juste lui et moi. Pour mon dernier anniversaire, il m'a emmenée en train jusqu'à Disneyland et c'était fantastique. Il m'a acheté une poupée géante de Minnie que je pose sur mon lit tous les soirs. Comme il y a déjà Mabel, on commence à être un peu à l'étroit.

Souvent, les gens me plaignent parce que je n'ai pas de maman. Une fois, Carole a passé un bras sur mes épaules en disant que ça devait être affreux. J'ai pris un air malheureux pour qu'elle soit super gentille avec moi, mais en fait ça m'est égal de ne pas avoir de maman. Elle ne me manque pas puisque je ne l'ai jamais connue. Le seul moment où je suis triste, c'est quand nous allons sur sa tombe. C'est une jolie tombe, avec une stèle blanche sur laquelle sont gravés les mots « A notre fille et épouse adorée », en lettres déliées. Papy arrange des freesias dans un petit vase. C'étaient les fleurs préférées de maman. Je ne peux m'empêcher de penser à elle, qui repose sous le bouquet rose et jaune, sous la dalle blanche, dans cette terre noire où grouillent les vers. Je ne supporte pas l'idée que ma mère a été « mise en terre ».

J'essaie de l'imaginer vivante. Je vais même vous confier un secret. Parfois, je parle de ma maman à Mabel, parce que Mabel ne pleure jamais.

Je lui parle de ma mère pendant des heures et des heures. Mabel écoute sagement. Quand elle ne ronfle pas.

## OÙ EST MABEL ?

Au retour de l'école, en traversant le vestibule, j'ai marché en plein dans un petit vomi de chat.

– Beurk !

Le pire, c'est que je portais des sandales ouvertes. Je me suis mise à sautiller sur place en répétant « beurk, beurk, beurk ». Mamie a poussé un soupir et m'a conduite dans la cuisine où elle a sorti du désinfectant, un chiffon et un bol rempli d'eau.

Au fond du couloir, Mabel tremblait et dodelinait de la tête.

– Franchement, Mabel ! Tu étais obligée de vomir en plein dans le passage ? Qu'est-ce que tu as mangé, méchante ? Tu es une chatte dégoûtante !

Mabel a laissé échapper un filet de bave puis elle s'est sauvée, l'oreille basse.

– C'est ça, tu peux avoir honte !

– Ne sois pas trop dure avec elle, Sofia, a dit Mamie. J'ai l'impression qu'elle n'est pas bien. C'est la deuxième fois qu'elle vomit... et elle a eu un petit accident.

– Ce n'est pas la première fois.

Mabel est devenue tellement paresseuse qu'elle arrive souvent trop tard à sa litière.

– La pauvre ne rajeunit pas, tu sais.

– Toi non plus, Mamie, tu ne rajeunis pas. Pourtant tu ne recraches pas ton déjeuner et tu ne fais pas pipi aux quatre coins de la maison.

– Coquine, a ri Mamie en faisant mine de me donner une fessée.

Mais elle paraissait inquiète. J'ai ressenti un pincement à l'estomac.

– Mabel n'est pas gravement malade, hein, Mamie ? Elle a juste un petit problème de digestion, n'est-ce pas ?

Mamie a hésité.

– J'espère, ma chérie. Je crois surtout qu'elle vieillit.

– On devrait peut-être l'amener chez le vétérinaire.

– A mon avis, il ne peut plus grand-chose pour elle.

Mon estomac s'est noué encore plus.

– Mais elle va guérir, pas vrai, Mamie ? Je veux dire… Elle ne va quand même pas mourir ?

J'ai rougi comme si je venais de lâcher un gros mot.

A la maison, on ne prononce presque jamais les mots « mourir » ou « mort ».

— Tu sais… On doit tous s'en aller un jour.

— Mais dans très, très, très longtemps. Mabel ne va pas mourir bientôt, dis ?

Mamie s'est contentée de hausser les épaules.

— Si je te faisais un grand verre d'orangeade maison ? Ensuite, tu auras peut-être envie de regarder la télé ?

Mamie ne prépare son orangeade maison que les trente-six du mois et, d'habitude, elle fait tout pour m'éloigner de la télévision. Elle préfère que je dessine, que je lise un livre ou que j'aille jouer dans le jardin.

J'en ai eu froid dans le dos. Mamie semblait croire que Mabel allait bientôt mourir. Ça peut paraître idiot, mais je ne me suis jamais imaginé qu'elle puisse disparaître un jour. D'accord, elle était très vieille, mais je me disais qu'elle continuerait éternellement à marcher clopin-clopant sur ses petits coussinets.

Je regrettais déjà de l'avoir grondée. J'avais envie de la serrer dans mes bras pour lui demander pardon.

– Je reviens tout de suite, Mamie.

Je suis montée en trombe dans ma chambre. Mabel aimait s'y réfugier.

Mon lit était vide. Il y avait bien Minnie, les talons en l'air… mais pas de Mabel.

– Où est-elle ?

J'ai envoyé valser Minnie. J'ai regardé sous mon lit. Mabel se sentait peut-être honteuse d'avoir vomi sur le tapis de l'entrée.

Il lui était déjà arrivé de se cacher sous mon lit. Mais pas cette fois.

– Mabel ? Où es-tu ?

J'ai fouillé ma chambre. J'ai soulevé les vêtements et les jouets éparpillés sur la moquette. J'ai regardé sur le rebord de la fenêtre, derrière les rideaux. Rien.

Je suis allée voir dans la chambre de Papy et Mamie. Mamie fermait toujours leur porte pour empêcher Mabel de se faufiler à l'intérieur, mais elle avait vite appris à l'ouvrir d'un coup de reins. J'ai vérifié sous le lit, sous la coiffeuse, sous le fauteuil à bascule et même sous la descente de lit.

J'ai jeté un œil dans la salle de bains, bien que Mabel ait horreur de l'eau. Quand je prends un bain et qu'elle pointe le nez, je m'amuse à l'éclabousser et elle s'enfuit en miaulant.

J'ai dévalé l'escalier jusqu'à la cuisine. Mamie était en train de touiller son orangeade.

– Mamie, je ne trouve pas Mabel !

– Elle n'est pas sur ton lit ? Encore que ça ne soit pas une très bonne habitude, surtout si Mabel a mal au ventre. Tu ne voudrais pas qu'elle vomisse sur ton lit, n'est-ce pas ?

J'avais tellement envie de la retrouver que ça m'aurait été égal.

– Où est-elle, Mamie ?

– Tu as regardé dans le salon ?

Mabel aime bien faire la sieste sur le tapis devant la cheminée. L'été, il n'y a pas de feu mais ça ne semble pas la perturber. Elle s'allonge là comme si elle se faisait rôtir, d'abord un côté, puis elle bâille, s'étire, et se recouche dans l'autre sens. Parfois, je m'installe dans un fauteuil devant le foyer et je pose délicatement mes pieds sur son dos. Ça me fait de grosses pantoufles en fourrure.

Mabel n'était pas sur le tapis. A son emplacement habituel, des poils de chat dessinaient la forme de son corps, preuve qu'elle y avait fait une sieste depuis que

Mamie avait passé l'aspirateur ce matin. Mabel n'était pas non plus dans les fauteuils, ni sur le canapé, ni sous la table.

– Mamie, je ne la trouve pas !

– Mabel ! Petit, petit, petit ! Montre-toi…

Mabel ne s'est pas montrée.

– Elle est peut-être dans le jardin ? Tiens, voilà ton orangeade, Sofia. Et un biscuit au chocolat. Miam miam, régale-toi !

Mamie est la plus adorable des grand-mères, mais comme toutes les grand-mères,

elle a souvent tendance à me traiter comme un bébé. *Miam miam !* C'est du langage de bébé !

J'ai avalé le biscuit au chocolat en deux bouchées, bu mon orangeade d'un trait puis j'ai couru chercher Mabel dans le jardin.

Elle peut sortir par la chatière aménagée dans la porte de la cuisine, mais ces derniers temps elle préférait rester à l'intérieur. Elle avait eu une mauvaise rencontre avec un chat qui lui avait flanqué une rossée. C'était le gros matou rouquin tout au bout de la rue. J'avais réussi à le faire déguerpir avant qu'il ne la blesse, mais Mabel en avait tremblé pendant des heures. Depuis, elle n'a pas remis une patte dehors.

J'ai quand même inspecté le jardin de fond en comble. Papy m'a aidée quand il est rentré à la maison. Puis il a dit qu'il allait faire un tour dans le quartier.

– Je veux aller avec toi, Papy.

Papy et Mamie n'ont pas trouvé que

c'était une très bonne idée. Ils ne m'ont pas expliqué pourquoi. Alors j'ai protesté.

– Il est peut-être arrivé quelque chose à Mabel, a dit Mamie. Je n'aimerais pas que tu vois ça et que ça te fasse de la peine.

– Quel genre de chose ?

Mais j'avais compris.

– Mabel a peut-être été écrasée par une voiture, ma chérie. Avec l'âge, elle n'est plus très vive et j'ai bien peur qu'elle n'y voie plus très clair.

– Mais il faut que j'aide Papy à la chercher ! Et si elle est blessée ? Je ne peux pas la laisser dans cet état, toute seule et morte de peur.

– Papy va faire de son mieux pour la trouver.

Mais il est rentré à la maison en secouant la tête. Toujours aucune trace de Mabel.

– Elle me manque tellement !

J'ai éclaté en sanglots. Cette fois, j'étais bien contente que Mamie me traite comme un bébé. Elle m'a bercée sur ses genoux pendant que Papy me lisait une histoire. J'ai arrêté de pleurer – mais j'avais encore le cœur gros.

Je ne dormais toujours pas quand papa est rentré du travail. Il a passé la tête dans ma chambre puis il est venu s'asseoir sur mon lit. Des larmes ont coulé sur mes joues.

– Où est passée Mabel, papa ? Elle n'a pas pu disparaître. Elle ne sort jamais. Pas loin, en tout cas. Et je l'ai cherchée partout.

– Je sais, ma chérie. Écoute, on va rédiger

une petite annonce pour signaler sa disparition. J'en imprimerai une centaine sur mon ordinateur et on ira les coller dans tout le quartier.

– Et on va la retrouver ?

– J'espère, ma chérie.

– Tu promets ?

Il a marqué un temps d'hésitation.

– Tu sais bien que je ne peux pas te promettre une chose pareille, Sofia.

— Elle me manque tellement, papa. Ces temps-ci, je n'ai pas été très gentille avec elle. Je l'ai traitée de paresseuse, pourtant je sais bien que ce n'est pas sa faute. Je donnerais n'importe quoi pour la voir endormie ici à mes pieds.

— Je sais, ma chérie.

— Je n'arrête pas de penser à elle. Elle est peut-être en train de pleurer, elle aussi…

Papa est resté un bon moment avec moi, à essayer de me calmer. J'ai dû m'endormir. Parce que soudain, je me suis réveillée seule dans le noir. J'ai tâtonné sur mon lit. Mabel n'était pas là.

J'ai étreint Minnie mais ce n'était pas pareil. Rien ne pouvait remplacer Mabel. J'aurais tant voulu la prendre dans mes bras et lui dire combien je l'aimais.

# LES CHATS ÉGYPTIENS

Je n'ai pas bien dormi cette nuit-là. Mabel faisait sans arrêt irruption dans mes rêves et chaque fois que je me réveillais, le lit me paraissait vide et glacé sans elle.

Le matin, j'ai recommencé à fouiller la maison.

– J'ai cherché de mon côté, a dit Mamie. Aucun signe…

– On n'a qu'à ouvrir une boîte de Whiskas et faire un peu de bruit avec l'ouvre-boîte. Ça la fait toujours rappliquer.

Mamie a ouvert une conserve. Elle a tapé sur le métal avec l'ouvre-boîte. Je m'y suis mise aussi. Nous l'avons appelée en chœur. Mais Mabel n'est pas venue.

Papy a bien regardé en allant acheter le journal. Rien.

– Elle a peut-être été enlevée !

– Allons, mon poussin, qui voudrait d'une vieille chatte comme Mabel ?

– J'en veux bien, moi…

Et je me suis remise à pleurer à chaudes larmes. Au point que Mamie et Papy ont fini par se faire du souci pour moi.

– Calme-toi, Sofia. Tu vas te rendre malade. Allez, ne te mets pas en retard pour l'école.

– Tu crois qu'elle est en état d'aller à école ? a demandé Papy.

– Non, ai-je pleurniché. Je ne suis pas en état du tout.

J'espérais rester et poursuivre les recherches. Mais Mamie a tenu ferme. Je ne devais pas manquer l'école. Elle m'a enfilé les sandales qu'elle avait nettoyées et elle a pris une robe propre dans le sèche-linge.

— Allons, sèche tes larmes maintenant, Sofia, a-t-elle dit en me boutonnant.

— Tu ne comprends pas, Mamie. On dirait que ça t'est égal que Mabel ait disparu…

— Tu te trompes, a-t-elle répondu, et sa voix s'est éraillée, comme sur une radio mal réglée. Je connais Mabel depuis bien plus longtemps que toi. Je me souviens du jour où nous l'avons eue chaton et que ta mère…

Cette fois, sa voix s'est brisée net. Elle avait les larmes aux yeux.

Mon estomac s'est noué si fort que j'étais incapable de parler, moi aussi, mais j'ai serré la main de Mamie pour lui montrer que j'étais désolée.

— Je vais t'emmener à l'école aujourd'hui, a dit Papy. Allons, ma puce. Laisse ta grand-mère tranquille.

Mamie ne faisait aucun bruit mais les larmes coulaient le long de ses joues. Ces pleurs silencieux m'ont fait plus d'effet que des sanglots déchirants. J'ai pris le chemin de l'école avec Papy, en fouillant du regard les jardins au passage. Je m'arrêtais tous les dix mètres pour jeter un œil sous les voitures, au cas où Mabel s'y serait blottie.

Papy m'a embrassée devant la grille de l'école.

– Tu fais un grand sourire à ton Papy ?

Je n'ai même pas pu esquisser un minuscule sourire. Papy avait du mal, lui aussi.

– Je n'ai pas envie d'aller à l'école aujourd'hui…

Il allait peut-être céder et me donner la permission de

rentrer la maison avec lui. Mais il a dit que mes amies me feraient oublier un peu Mabel. Je voyais mal comment. Il y avait une sirène dans ma tête qui répétait : « Mabel-Mabel-Mabel. » Une fois en classe, quand j'ai échangé quelques mots avec Carole, Laura et Aaron, la sirène Mabel ne s'est pas arrêtée. Au contraire.

– Qu'est-ce que tu as ? m'a demandé Carole.

– Mabel a disparu !

Je lui ai tout raconté. Elle a fait de son mieux pour me réconforter. Elle m'a donné la moitié de son Mars et m'a dit qu'une fois aussi, la maman de Champion, Terrible, Baby et Chic avait fugué.

– On ne l'a pas revue pendant des jours. Elle s'était aménagé un nid dans la cabane du jardin. C'est là qu'elle a eu ses chatons. Mabel est peut-être en train d'avoir des petits ?

– Elle est bien trop vieille pour ça.

– Elle s'est peut-être invitée chez un

voisin, a dit Laura. Notre chien Poubelle fait ça tout le temps. Il entre dans un jardin et se met à aboyer comme un affamé. Parfois, les gens tombent dans le panneau et lui donnent à manger.

– Ce n'est pas le genre de Mabel. De toute façon, elle ne s'intéresse pas beaucoup à la nourriture ces temps-ci. Elle n'arrête pas de vomir.

J'ai appuyé le front sur ma table.

– Je lui ai passé un savon parce que j'ai marché dans son vomi. Mais ce n'était pas sa faute. Elle est peut-être malade pour de bon.

– Réglisse vomit souvent, lui aussi. Cet idiot se prend pour un mouton et broute la pelouse. Est-ce que Mabel mange de l'herbe ?

– Non, seulement ses boîtes.

– Bonjour tout le monde ! a lancé Mlle Smith en entrant dans la classe. Sofia ? Qu'est-ce qu'il y a ? Tu as sommeil ?

– Mmm…

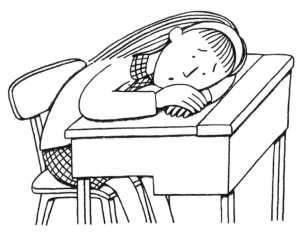

– Tu es restée trop longtemps devant la télé hier soir ?

– Non. Je n'ai pas bien dormi.

– Pourquoi donc ?

La maîtresse est venue s'accroupir à côté de moi.

– J'ai fait des cauchemars.

– Oh. Tu en as parlé à ta maman ?

– Maman est morte.

J'ai reniflé un grand coup.

Mlle Smith a pris un air désemparé.

– Je suis désolée, a-t-elle murmuré, comme si ma mère était morte la veille.

Je suis restée le nez sur mon bureau tandis que Mlle Smith commençait la classe. Elle nous a raconté un tas de choses à propos de l'Égypte ancienne. C'est le sujet que nous étudions ce trimestre.

D'ailleurs, Mlle Smith ressemble un peu à une Égyptienne, avec ses yeux maquillés, ses cheveux noirs et raides. La semaine dernière, on devait faire un dessin dans le style égyptien, avec tous les personnages de profil. Sophie et moi, nous avons été prises d'un fou rire en nous demandant si les Égyptiens marchaient vraiment comme ça.

Mais ce jour-là, je n'avais pas du tout envie de rire.

Moyra m'a donné un petit coup dans le dos.

– Mon serpent Stranglor a disparu, lui aussi... Je me demande où il a bien pu passer...

Je devinais la suite. Quelques secondes plus tard, son bras s'est lové autour de mon cou.

— C'est Stranglor ! a sifflé Moyra.

Cette fois, je n'ai pas poussé de cri. Je n'ai même pas tressailli.

Elle a glissé un bras autour de ma taille, mais je n'ai pas réagi.

– Moyra, s'il te plaît ! a dit Mlle Smith.
Laisse Sofia tranquille.

– Oh, tu n'es pas marrante, a murmuré
Moyra.

Non, je n'étais pas marrante. Je me suis
effondrée un peu plus sur ma chaise. Je
pensais sans arrêt à Mabel. A la façon
dont je l'avais grondée parce qu'elle avait
vomi dans l'entrée et à son air pitoyable
quand elle s'était sauvée. C'était trop
triste…

J'ai sorti mon mouchoir en catastrophe et
je me suis mouchée bruyamment. Par poli-
tesse, la classe n'y a pas fait attention. Puis
j'ai reçu une tape dans le dos. J'ai cru à une
nouvelle attaque de Stranglor, mais Moyra
a soufflé :

– Sofia, désolée pour ton chat. Je suis sûre
qu'il va revenir. Stranglor réapparaît toujours…

– Moyra ! a dit Mlle Smith.

– Maîtresse, j'essayais juste de consoler
Sofia pour son chat !

— C'est vrai, mademoiselle Smith, dis-je en me mouchant de nouveau.

Je ne suis pas un modèle de sagesse, mais je suis honnête.

La classe n'en revenait pas. Tout le monde sait que Moyra et moi sommes des ennemies mortelles et voilà que soudain nous nous serrions les coudes. Même Mlle Smith n'en croyait pas ses yeux.

— Cela fait plaisir de voir que vous êtes d'accord pour une fois. Mais nous sommes censés nous concentrer sur l'Égypte ancienne, pas sur les chats. Encore que les Égyptiens avaient une véritable passion pour les chats. Ils les considéraient comme des animaux sacrés. Lorsqu'un ennemi tenait un chat en guise de bouclier, les soldats égyptiens retenaient leurs traits, de peur de blesser l'animal. Il y avait même une déesse chatte nommée Bastet. Les Égyptiens lui ont consacré un grand cimetière de chats. Quand l'un d'eux mourait, son maître se rasait les sourcils en signe de deuil. Certains chats ont même été momifiés.

– Ouah, des momies ! s'est exclamée Moyra. Parlez-nous encore des momies, mademoiselle Smith.

Je n'écoutais plus. A voix basse, j'adressais une prière à Bastet.

– Faites que je retrouve Mabel, ô grande déesse Bastet. Je vous en supplie, je vous en supplie, aidez-moi à la retrouver.

J'ai fermé les yeux. Quand je les ai rouverts, Mlle Smith montrait à la classe la photo d'un chat. Il était tout en longueur,

sans queue ni pattes, mais on reconnaissait distinctement la tête et les oreilles pointues d'un félin. Comme il paraissait couvert de tissu plutôt que de poils, j'ai d'abord cru que c'était un jouet.

– Voici une momie de chat…

Et Mlle Smith nous a expliqué en détail comment les Égyptiens s'y prenaient pour transformer leurs chats en momies. Cette fois, elle avait toute mon attention.

## LA MOMIE DE MABEL

La déesse Bastet a exaucé ma prière, mais de la pire manière qui soit.

Mamie est venue m'attendre à la sortie de l'école. Elle s'était coiffée et bien habillée, mais elle avait toujours l'air triste. On restait sans nouvelles de Mabel.

– Mais n'oublie pas, Sofia, ça fait seulement vingt-quatre heures qu'elle a disparu.

J'avais l'impression que ça faisait vingt-quatre jours. Ou vingt-quatre semaines. Quand je suis rentrée à la maison, j'aurais voulu avoir une baguette magique pour remonter le temps d'une journée et marcher sur le vomi… sauf que cette fois je prendrais Mabel dans mes bras et je lui dirais que je suis désolée de la voir dans cet état.

Mais ce soir-là, il n'y avait pas de tache sur le tapis. Et Mabel ne dodelinait pas de la tête au fond du couloir.

– Je vais nous préparer un petit goûter, dit Mamie.

Mais nous n'avions faim ni l'une ni l'autre. D'un pas lourd, je suis montée dans ma chambre. Minnie gisait sur le lit. Je me suis assise une minute à côté d'elle. J'ai ôté mes sandales et je me suis couchée en chien de fusil comme pour dormir. Au bout de cinq minutes, Mamie est venue me trouver.

– Tu fais un petit somme ? Excellente idée. Je t'appelle tout à l'heure pour manger un morceau, d'accord ?

Elle est partie sur la pointe des pieds. J'ai fermé les yeux mais je n'arrivais pas à dormir. Je grelottais, et pourtant il ne faisait pas froid. Je ne voulais pas me glisser sous les couvertures tout habillée. J'ai eu soudain envie de prendre ma vieille robe de chambre d'hiver, en molleton bleu, avec une tête de chat brodée sur les deux poches.

J'ai regardé dans la penderie mais je ne l'ai pas trouvée tout de suite. Elle avait dû glisser du cintre et tomber sur mes chaussures. Je me suis agenouillée, j'ai cherché à tâtons… J'ai senti quelque chose de doux. Mais ce n'était pas du molleton, plutôt de la fourrure… de la vraie fourrure.

Mabel était recroquevillée au fond de ma penderie. J'ai eu un hoquet de surprise, puis je l'ai sortie doucement, en retenant mon souffle. Il y avait quelque chose qui clochait. Elle avait les yeux mi-clos et paraissait toute raide.

— Mabel…

Je l'ai secouée un peu pour la réveiller. Mais elle ne pouvait plus se réveiller. Ma pauvre Mabel était morte.

— Oh, non…

Je l'ai prise dans mes bras et je l'ai bercée.

J'aurais voulu appeler Mamie mais j'étais si bouleversée que je ne pouvais pas articuler un mot. J'ai pensé à ce qui allait se passer ensuite. On allait enterrer Mabel. L'idée qu'elle puisse être enfouie sous des pelletées de terre me faisait horreur. D'abord, Mabel n'aimait plus le jardin. Elle aurait peur, là-bas toute seule. Et puis les vers passeraient à l'attaque…

– Non ! Je ne laisserai personne t'enterrer, Mabel, c'est promis. Je vais m'occuper de toi. Je vais te garder à l'abri.

Mais je ne pouvais pas la laisser comme ça dans la penderie. Elle commençait déjà à sentir tout drôle. Je ne savais pas comment les choses devaient évoluer, mais j'avais dans l'idée que ça ne serait pas joli-joli. Il fallait que je trouve un moyen de la conserver.

Soudain une idée m'est venue, ou plutôt une inspiration. Comme si la déesse Bastet avait posé sa patte sur mon front. J'allais momifier Mabel ! Sans le dire à personne, ni à Papy, ni à Mamie, ni à papa. Ils trouveraient ça bizarre et j'aurais droit à un sermon de Mamie sur les règles de l'hygiène.

Pourtant ma décision était prise. C'était la meilleure façon de conserver Mabel pour l'éternité. Je pourrais la tenir dans mes bras, lui dire que je l'aime et lui murmurer des messages pour ma maman. Mabel serait comme un jouet, elle resterait avec moi à tout jamais.

Il fallait faire vite et l'embaumer pendant que Mamie me croyait en train de dormir. En classe, j'avais appris que les Égyptiens mettaient soixante-dix jours mais je disposais d'à peine soixante-dix minutes.

J'ai étendu ma robe de chambre par terre et j'ai placé au centre le corps raidi de bel. Elle n'avait pas fière allure. J'ai essayé de la peigner et de l'épousseter avec des mouchoirs en papier.

Puis je me suis accroupie pour réfléchir à la suite des opérations. Comment oublier ? Il fallait prendre un crochet, l'enfoncer dans la tête et extraire la cervelle.

Mabel semblait m'observer à travers ses yeux mi-clos. J'ai compris que je serais incapable de lui vider le crâne avec un fil de fer. J'ai décidé de l'envelopper telle quelle. Mais ses viscères allaient pourrir… Sous les bandelettes, il fallait que je l'embaume.

Les Égyptiens se servaient d'une sorte de sel appelé le natron. Mais je ne savais pas s'il était encore possible de s'en procurer. En tout cas, je n'en avais jamais vu sur les rayons du supermarché. Le sel de cuisine ne ferait pas l'affaire… Tout à coup, j'ai pensé au grand bocal de sels de bain qui trônait sur une étagère de la salle de bains.

Ce serait parfait ! Je suis allée vérifier en douce. D'après l'étiquette, les sels conte-

naient des « agents conservateurs ». Exactement ce qu'il me fallait ! En plus, ça sentait rudement bon.

J'ai apporté le bocal dans ma chambre et j'en ai versé tout le contenu sur Mabel. On aurait dit qu'elle venait d'être emportée par une avalanche de lavande.

– Et voilà !

J'ai enlevé les flocons de ses yeux pour échanger avec elle un dernier regard.

– Maintenant, je vais te transformer en momie.

Mamie range ses vieux draps en haut d'une armoire. Elle ne les sort que si j'ai besoin d'un costume pour le théâtre à l'école, ou quand Carole et moi voulons jouer aux fantômes. J'ai pris un grand drap blanc et, armée de ciseaux, je me suis mise au travail. Je ne voulais pas me contenter d'envelopper Mabel comme un vulgaire paquet. Il fallait découper des bandelettes, puis les rouler très serré tout autour de son corps.

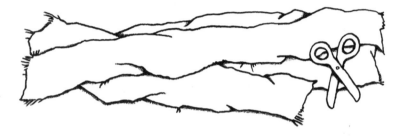

J'ai essayé de couper droit. C'était difficile parce que je n'avais que la vieille paire de ciseaux émoussés dont je me sers pour mon album. Mamie en a d'excellents à la cuisine mais je ne pouvais pas prendre le risque d'aller les chercher. Je me suis débrouillée comme j'ai pu avec mes petits ciseaux, jusqu'à en avoir des crampes dans les doigts. Puis j'ai déchiré le drap en lambeaux.

Les minutes filaient. Je ne pouvais pas attendre plus longtemps. J'ai soulevé Mabel pour la mettre dans la bonne position. Il fallait redresser ses pattes et sa queue, pour lui donner une apparence de statue.

Mais Mabel ne voulait pas se tenir droite. Elle restait toute recroquevillée, les pattes en éventail et la queue en spirale, dans la position qu'elle adoptait d'habitude pour dormir. Elle ne voulait pas en démordre. J'ai tiré plus fort mais j'avais peur de lui casser les pattes et surtout la queue, déjà si fine et fragile.

Comment s'y prenaient les Égyptiens ? En désespoir de cause, je me suis résignée à envelopper Mabel le dos rond et les pattes écartées. Ce n'était pas une mince affaire. Moi qui n'ai jamais été très douée pour emballer les cadeaux de Noël… Et là, on ne peut même pas attacher les bandelettes avec du Scotch. Chaque fois que je posais un ruban de tissu, un autre se détachait. Alors j'ai fait des doubles nœuds à tour de bras. Résultat, Mabel avait l'air d'un paquet mal ficelé.

J'en avais presque les larmes aux yeux parce que je voulais tant la rendre belle et digne. Pourtant, à force d'ajouter des bandelettes, j'ai réussi à lui donner une forme décente. Je commençais à avoir le coup de main. Un peu comme la première fois où j'ai essayé de me faire une queue de cheval. Elle était toute de traviole, avec la moitié des cheveux dehors, mais depuis, mes doigts ont eu tellement d'entraînement que j'y arrive en un tournemain, et le résultat est impeccable.

Mabel n'a pas fini aussi impeccable que je l'aurais voulu. Mais au moins elle avait l'air d'une vraie momie.

Avec mes plus beaux feutres, je me suis appliquée à tracer des yeux verts, un nez rose et une bouche rouge sur les bandelettes qui recouvraient sa tête. Puis j'ai dessiné des symboles égyptiens sur le corps. L'œil ouvert d'Horus pour la protéger et le signe Ankh – une croix ansée – pour lui porter chance. J'y ai ajouté tous les objets préférés de Mabel, une boîte de nourriture pour chat, le tapis devant la cheminée et mon lit. J'ai terminé avec une frise de souris, de poissons et d'oiseaux.

Je me suis reculée pour admirer mon travail. A présent, il fallait trouver un sarcophage. Je ne savais pas quoi prendre. J'ai essayé une boîte à chaussures mais elle était beaucoup trop petite.

Je me suis dit qu'en attendant mieux, je pouvais prendre le vieux sac en toile où je rangeais mes affaires de piscine. J'y ai glissé Mabel tout emmaillotée. Je me suis penchée pour déposer un baiser sur les bandelettes qui dépassaient et j'ai murmuré à Mabel que je l'aimerais toujours. Puis je l'ai soigneusement installée au fond du placard. Évidemment, il manquait une pyramide, mais ce lieu sombre et fermé faisait un tombeau tout ce qu'il y a de plus acceptable.

# LE CAUCHEMAR

— Ta petite sieste t'a reposée ? a demandé Mamie lorsque je suis descendue pour le dîner. Mmm ! En tout cas, tu sens bon le propre !

— Et tes joues ont retrouvé un peu de couleur, a ajouté Papy.

Ils avaient tous deux les traits tirés mais ils faisaient de gros efforts pour paraître enjoués. Papy nous a servi des saucisses et de la purée, notre plat préféré – mais personne n'est venu à bout de son assiette.

Je n'arrêtais pas de jeter des coups d'œil vers l'écuelle de Mabel, dans un coin de la cuisine. D'habitude, elle dînait avec nous. Parfois, elle venait même finir mes restes. Elle adorait la purée. Mais je devais faire attention parce que si je lui en donnais trop, elle était malade.

Ça m'a rappelé combien j'avais été injuste la dernière fois où cette pauvre Mabel avait vomi. Ma bouchée de purée est restée coincée au fond de ma gorge et j'ai bien failli vomir, moi aussi.

Papy m'a tapoté la main. Mamie a ôté mon assiette et m'a versé à boire.

– Ton papa a promis de rentrer tôt ce soir.

Je n'y croyais qu'à moitié. Papa travaillait toujours très, très tard. Pourtant, ce jour-là, il est arrivé à la maison au moment où Mamie débarrassait la table.

– Je vais te servir une assiette.

– Pas la peine, je mangerai plus tard. Je pensais faire un petit tour dehors avec Sofia. J'ai rapporté un paquet d'avis de recherche pour Mabel. On va les afficher dans tout le quartier. Regarde, Sofia, j'ai même mis sa photo.

J'ai levé les yeux. Papa avait fait une très jolie affiche, avec une photo de Mabel roulée en boule et en dessous cette question : AVEZ-VOUS VU NOTRE MABEL ?

Mon cœur s'est mis à battre très fort. J'ai cru qu'il allait jaillir de ma poitrine et éclater sur ma robe. Papa et moi, nous avons sillonné le quartier. Nous avons collé l'affiche de Mabel un peu partout, sur les arbres, sur les grilles et sur les lampadaires.

– Ne t'en fais pas, Sofia, on va la retrouver, a dit papa en me prenant la main. En voyant ces annonces, un passant va reconnaître Mabel et nous appeler. Elle n'a pas pu se volatiliser comme ça.

Mon cœur faisait boum boum boum. J'aurais dû dire à papa que Mabel ne s'était pas enfuie. Il avait imprimé tous ces avis de recherche, mais il y avait une seule personne au monde qui sache où elle se trouvait. Cachée au fond de mon placard.

Papa comprendrait-il ? Je n'ai pas osé lui avouer la vérité. Avec lui, on ne pouvait jamais aborder un sujet comme la mort. Parce que ça lui rappelait maman. Je me suis souvenue de la réaction de Mamie ce matin. Ce serait encore pire si papa se mettait à pleurer.

Du coup, j'ai préféré me taire. Je n'ai pratiquement pas ouvert la bouche pendant notre tournée dans le quartier et, de retour à la maison, je suis restée très silencieuse. A vrai dire, nous étions *tous* très silencieux.

Ça a été presque un soulagement quand Mamie m'a envoyée au lit. Je me suis allongée, les yeux au plafond. J'ai attendu que Mamie et Papy montent se coucher. J'ai attendu encore un peu que papa en fasse autant. Bien m'en a pris, parce qu'il est entré sans bruit dans ma chambre. J'ai vite fermé les yeux et je n'ai plus bougé. Il est resté longtemps près de mon lit. Puis il a poussé un soupir, il a remonté mes couvertures et il est sorti.

Pour plus de sûreté, j'ai encore patienté un bon moment. Lorsqu'il n'y a plus eu aucun bruit dans la maison, je me suis levée et j'ai ouvert tout doucement la porte du placard. Une drôle d'odeur s'en est échappée, à la fois âcre et doucereuse – les sels de bain mêlés aux relents de Mabel.

Mais ça ne devait pas me rebuter. Après tout, la pauvre Mabel n'y pouvait rien.

J'ai attrapé le sac au fond de la penderie mais j'ai eu beau tirer, je n'ai pas réussi à en sortir la momie. Dans le noir, je ne voyais pas bien ce que je faisais. J'ai dû me contenter de glisser une main par l'ouverture pour caresser les bandelettes de Mabel. C'était doux et apaisant…

Je me suis réveillée au milieu de la nuit, appuyée contre la penderie, le sac de toile serré contre la poitrine. J'aurais voulu l'emporter dans mon lit, mais c'était trop risqué. J'ai donc remis Mabel à sa place, j'ai fermé la porte du placard et je suis retournée me coucher. Comme je tremblais de froid, je me suis enveloppée dans la couette.

C'est sans doute à cause de la couette que j'ai fait un cauchemar. J'étais morte. On voulait m'extraire le cerveau à l'aide d'un long crochet et j'ai poussé un cri. On m'a saucissonnée à l'aide de bandelettes de plus en plus serrées, et j'ai crié de nouveau. J'ai appelé à l'aide parce qu'on était en train de me momifier…

– Sofia ! Sofia, ma chérie, c'est papa. Je suis là. Réveille-toi ! Tu es en train de faire un cauchemar.

Je sanglotais, en agitant les bras et les jambes pour me débarrasser des bandelettes. La couette est tombée par terre et je me suis jetée dans les bras de papa.

– Oh, papa !

Il m'a serrée fort.

– Qu'est-ce qu'il y a ? a demandé Mamie d'une voix pâteuse, sur le pas de la porte. Tu pleures, Sofia ?

— Elle a fait un cauchemar, a dit Papa. Elle criait dans son sommeil.

— Qu'est-ce que j'ai crié ? Est-ce que j'ai parlé de Mabel ?

— Je n'ai pas vraiment compris ce que tu marmonnais, ma chérie, mais ça ressemblait à « momie »... ou peut-être « maman ».

Je suis restée sans voix. Mon cœur battait la chamade. Papa s'est raclé la gorge comme s'il allait dire quelque chose, mais aucun son n'est sorti de sa bouche.

Un silence pesant s'est abattu sur la chambre.

# L'ESPRIT DES MORTS

Nous nous sommes tous levés tard. Ce n'était pas plus mal. Parce que Mamie s'est aperçue que les sels de bain avaient disparu…

– Enfin où ont-ils bien pu passer ?

Elle a demandé à Papy s'il s'en était servi. Il a répondu qu'il n'en mettait qu'une pincée à chaque fois, parce qu'il n'avait pas envie d'empester la lavande.

– Sofia ? Rassure-moi : tu n'as pas tout

versé dans ton bain ? Ça ne peut pas être ton père. Il ne prend que des douches.

– Je… J'en ai peut-être pris un peu, ai-je bredouillé en décampant aussitôt. Pardon, Mamie, il faut que je prépare mon cartable…

Mais elle m'a suivie jusque dans ma chambre. Elle a reniflé d'un air soupçonneux.

– Oh là là ! Ça sent les sels de bain. Qu'est-ce que tu as fabriqué ? Tu as versé tout le bocal dans ton bain ?

– S'il te plaît, Mamie, ne te fâche pas.

J'ai entassé mes livres et mes affaires de gym pêle-mêle dans mon cartable. La fermeture éclair s'est coincée. J'ai tiré. Trop fort.

– Oh non !

– Sofia ! Maladroite ! Il ne fallait pas forcer. Regarde maintenant ! Où est ton sac de piscine ? Tu n'as qu'à y transvaser tes affaires.

– Non ! Je… Je ne peux pas. Je n'aime pas les sacs de toile. Plus personne n'en a à l'école. Le cartable ira très bien, Mamie. Il suffit de mettre une épingle de sûreté. Oh, s'il te plaît, dépêchons-nous, nous sommes en retard.

Je suis passée devant Mamie en serrant mon cartable dans les bras. Avec un peu de chance, d'ici à ce soir, elle aurait oublié les sels de bain.

Difficile en revanche d'oublier Mabel. Sur tous les arbres et les réverbères, sa jolie tête semblait nous adresser une plainte sourde.

— Je donnerais cher pour la savoir en sécurité quelque part, a grommelé Mamie. Je vais rester à la maison toute la journée, au cas où quelqu'un appellerait.

— Oh, Mamie…

J'ai franchi les grilles de l'école la mort dans l'âme. La cloche avait sonné mais Mlle Smith ne m'a pas grondée lorsque je me suis glissée dans la classe.

— Comment ça va aujourd'hui, Sofia ? Tu as encore fait des cauchemars ?

— Des cauchemars horribles.

— Ma pauvre…

Elle m'a tapoté l'épaule au passage.

Carole, Laura et Aaron ont tous été très gentils avec moi. Même Moyra s'y est mise. A la récréation, elle m'a offert de partager ses bonbons. Elle avait deux serpents en gelée verte.

— Je t'en donne un si tu veux, Sofia.

J'ai répondu que je n'avais pas très faim, merci. Elle m'a un peu taquinée en agitant un serpent sous mon nez et en criant que j'avais peur d'un bonbon – mais Aaron l'a poussée du coude. Il voulait savoir si j'irais jouer aux balançoires après l'école. Laura m'a dit que sa voisine avait entendu un chat

miauler toute la nuit et que c'était peut-être Mabel. Carole a suggéré que si elle ne revenait pas, je n'aurais qu'à prendre un de ses chatons, Champion, Terrible, Baby ou Chic, parce que sa mère refusait de tous les garder.

J'ai remercié Aaron mais je n'étais pas d'humeur à faire de la balançoire. J'ai remercié Laura mais je lui ai dit que ça ne pouvait pas être Mabel. J'ai remercié Carole et je lui ai expliqué que j'aimais beaucoup Champion, Terrible, Baby et Chic… mais qu'ils ne pourraient jamais remplacer ma chère Mabel.

J'ai pensé à elle pendant presque toute la matinée. Du coup, je me suis trompée dans mes additions. Mais après déjeuner, Mlle Smith nous a reparlé de l'Égypte et j'ai écouté attentivement. Elle nous a montré un masque de chacal qui faisait peur puis elle a demandé si quelqu'un voulait le mettre. C'était celui d'Anubis, le dieu des morts. Moyra voulait tellement être choisie qu'elle a failli mouiller sa culotte. Finalement, Mlle Smith a fait circuler le masque dans toute la classe pendant qu'elle nous exposait les croyances des Égyptiens sur la mort.

Ils pensaient que l'âme quittait le corps mais qu'elle pouvait revenir par la suite. D'où l'importance de bien conserver les corps : ils devaient rester intacts au cas où l'esprit leur rendrait une petite visite.

Je ne regrettais pas de m'être donné autant de mal pour Mabel. Il fallait que je pense à laisser la porte du placard entrebâillée pour que son âme puisse vagabonder à sa guise.

— Est-ce qu'on peut voir une âme, mademoiselle Smith ? ai-je demandé.

— Eh bien, les Égyptiens représentaient toujours les esprits des morts sous forme d'oiseaux.

J'ai ouvert de grands yeux, essayant d'imaginer Mabel avec des ailes dans le dos. Elle aurait une drôle d'allure. Mais j'étais sûre que ça lui plairait de voler. Elle pourrait s'élancer par la fenêtre et s'élever par-dessus les toits sans épuiser ses pauvres pattes. Elle donnerait la chasse aux moineaux et se percherait sur la cime des arbres, sans craindre d'y rester coincée.

Mlle Smith nous a montré un dessin d'Anubis en train de placer un cœur sur le plateau d'une balance. Si le cœur et la plume de la vérité s'équilibraient, alors la momie pouvait accéder à l'immortalité.

— Les momies vivent éternellement et on peut les retrouver dans l'au-delà ? ai-je demandé.

Je nous voyais déjà, Mabel et moi, en train de voler main dans la main.

Mlle Smith m'a regardée avec sollicitude.

— C'est ce que croyaient les Égyptiens, Sofia.

— Mais on a le droit de le croire nous aussi ?

– Eh bien…

– Moi, j'y crois, s'est écriée Moyra. J'adore l'Égypte ! Montrez-nous les dragons-serpents dans le *Livre des morts*, mademoiselle Smith. Ils sont trop beaux !

Mlle Smith nous a parlé des dragons-serpents et des dieux-crocodiles. Toute la classe était excitée. Pas moi. Je pensais à Mabel.

Je songeais qu'il faudrait mettre quelques jouets et des boîtes de Whiskas dans sa tombe-penderie. Avant, elle avait une souris en plastique mais elle l'a perdue. Je n'en avais pas d'autre à lui donner, à part Minnie, mais elle était beaucoup trop grosse.

A la fin de la classe, Mlle Smith m'a appelée à son bureau.

– Tu peux venir, Sofia ? J'ai deux mots à te dire.

J'ai cru qu'elle allait me gronder parce que je n'étais pas assez attentive. Dans mon trouble, j'en ai oublié que la fermeture éclair de mon cartable était cassée. Au moment où je montais sur l'estrade de la maîtresse, toutes mes affaires se sont renversées par terre.

– Oh, ma pauvre, a dit Mlle Smith.

Elle m'a aidée à tout ramasser.

– Décidément, ce n'est pas ton jour, hein ?

– Non, mademoiselle Smith.

– Sofia… Tu as l'air très triste en ce moment…

J'ai baissé la tête.

– Et apparemment tu dors mal.

– Je suis désolée, mademoiselle Smith.

– Ce n'est pas ta faute. Je ne suis pas en train de te gronder. La vie ne doit pas être très rose en ce moment à la maison…

J'ai levé les yeux. On avait dû lui parler de Mabel.

– Tu devrais peut-être essayer de parler de ta maman avec ton père ? Ou ta grand-mère ?

J'ai écarquillé les yeux. Pourquoi avait-elle soudain changé de sujet ?

– Je ne peux pas en parler.

Ma gorge s'est nouée parce que la seule avec laquelle je pouvais parler de maman, c'était Mabel.

– Je peux y aller maintenant, mademoiselle Smith ?

Je ne voulais pas éclater en sanglots devant elle.

Je me suis sauvée en courant, avant même d'avoir sa permission. J'ai cru l'entendre m'appeler mais je ne me suis pas retournée.

Mamie m'attendait à la grille, l'air soucieux.

— Où étais-tu passée, Sofia ? Aaron et les autres sont sortis depuis dix bonnes minutes. Mademoiselle Smith t'a retenue ?

— Oh, elle voulait juste me parler un moment. Dis, je peux avoir une glace ?

— Non, ma chérie. Et n'essaie pas de changer de conversation ! De quoi voulait-elle te parler ?

— Oh… rien.

Mamie a poussé un long soupir.

— Tu n'as pas fait de bêtises, au moins ?

— Non, Mamie.

— Sofia ? Tu me caches quelque chose ?

J'ai réussi à soutenir son regard.

— Non, Mamie.

## MABEL LA MOMIE

J'ai essayé de dire la vérité. En grec, Sofia signifie sagesse. Vous pouvez vérifier dans un dictionnaire. Je ne suis pas plus sage qu'une autre, mais je m'efforce de ne jamais mentir. Avec cette histoire de momie, ça devenait de plus en plus difficile… Je n'avais pas été entièrement honnête à propos des sels de bain, ni de mon sac en toile, ni de mon petit entretien avec Mlle Smith. Au moins, je n'avais pas proféré de mensonge flagrant. Pas encore…

Dès que nous sommes rentrées à la maison, j'ai filé dans ma chambre pour aller parler à Mabel. J'ai fermé la porte et calé une chaise contre la poignée au cas où. Puis j'ai ouvert la penderie.

Mal m'en a pris.

L'odeur avait empiré. Les sels de bain ne remplissaient pas leur fonction. La pauvre Mabel avait besoin d'un toilettage en règle. Je m'apprêtais à la sortir du sac en toile

pour m'occuper d'elle, mais lorsque j'ai desserré le nœud coulant, la puanteur est devenue si épouvantable que j'ai dû reculer d'un pas. J'ai poussé le sac tout au fond de la penderie et j'ai refermé la porte vite fait.

Je suis restée accroupie à me demander quoi faire. J'avais beau retourner la question dans tous les sens, je ne voyais aucune solution.

– Sofia ? a appelé Mamie. Tu es là-haut ? Tu fais encore la sieste ?

– Non, Mamie. J'arrive !

Je suis descendue au galop.

J'avais trop peur qu'elle monte dans ma chambre, avec ces effluves qui venaient de s'échapper de la penderie. L'odeur avait dû s'accrocher à moi parce que Mamie a mis le nez en l'air dès je suis entrée dans la cuisine.

– Qu'est-ce qui sent si mauvais, ma chérie ?

— Je ne sens rien, Mamie.

J'ai ouvert de grands yeux innocents.

— Sofia… ?

Elle s'est arrêtée, l'air gêné.

— Tu n'as pas eu un petit accident, par hasard ?

— Mamie !

Elle a continué à me dévisager.

— De toute façon, tu ferais bien de prendre un bain, ma chérie. Et change donc de robe.

Après une courte pause, elle a ajouté :

— J'ai racheté des sels de bain. Mais fais attention cette fois, s'il te plaît : mets-en à peine.

Après un bon bain, je me suis sentie beaucoup plus fraîche. Mais un problème MAJEUR a surgi. Mes vêtements propres étaient tous accrochés dans la penderie. Lorsque j'ai entrouvert la porte pour les renifler, j'ai compris qu'il était hors de question de les mettre.

Panique à bord ! Je serais obligée de descendre en catimini avec tous mes habits au beau milieu de la nuit pour les fourrer dans la machine à laver. Mais en attendant, que faire ?

Faute de mieux, j'ai enfilé un vieux costume de fée retrouvé tout chiffonné au fond de mon coffre à jouets. Je ne l'avais pas porté depuis des années. Il était beaucoup trop court et trop étroit. J'avais l'air grotesque, mais au moins ce déguisement ne sentait que les vieilles peluches.

Mamie a été très étonnée quand je suis descendue en trombe, les ailes au vent, avec un jupon de gaze qui couvrait à peine ma petite culotte.

– Qu'est-ce qui t'a pris de ressortir ce vieux déguisement ?

– J'avais envie de jouer à la fée, Mamie. Ça ne t'ennuie pas ?

Je me suis mise à virevolter bêtement.

– Quelle jolie fée ! a dit Papy en revenant du jardin. Je peux faire un vœu ?

Je n'avais pas d'autre choix que de continuer mon numéro. Je tournoyais encore d'une pièce à l'autre en distribuant des vœux à tour de bras quand Papa est rentré du bureau – de bonne heure pour la deuxième fois.

– C'est la dernière mode ?

– Ne dis pas de bêtises, papa. Tu vois bien que je suis une fée !

Pour preuve, j'ai esquissé une pirouette sur les pointes.

Papa, Mamie et Papy ont échangé des messes basses pendant que je tourbillonnais.

— On dirait qu'elle a repris du poil de la bête.

— Elle n'a même pas demandé s'il y avait eu des appels à propos de Mabel.

— Je suis rentré de bonne heure au cas où elle aurait voulu explorer le quartier, mais il vaut mieux éviter de lui en parler maintenant.

Ça me facilitait les choses s'ils me prenaient pour une gamine sans cœur qui avait déjà oublié Mabel, mais je détestais leur jouer cette comédie, surtout que Mamie m'a gratifiée d'une double ration de dessert.

Nous étions encore à table quand on a sonné à la porte. Mamie est allée ouvrir et elle est revenue dans la salle à manger… avec Mlle Smith !

— Oh, pardon ! Je vous dérange pendant le repas.

— Mais pas du tout ! a dit papa en se levant

d'un bond. De toute façon, on avait fini. Je vous apporte une tasse de thé ou de café, mademoiselle Smith ?

– Je m'en occupe, a dit Mamie, qui a horreur qu'on farfouille dans ses placards.

Papa m'a scrutée du regard.

– Notre Sofia se serait-elle attiré des ennuis à l'école, mademoiselle Smith ?

Mamie a froncé les sourcils.

– Sofia ? Qu'est-ce que tu as fait ? Et va mettre une robe, veux-tu ? Que va penser mademoiselle Smith en te voyant dans cet accoutrement ?

– Oh, non, je vous en prie. Tu es très jolie

comme ça, Sofia. Ne vous inquiétez pas, elle n'a rien fait de mal. Je suis passée parce que Sofia a oublié son porte-monnaie. Il est tombé de son sac à dos et il a roulé sous mon bureau. Je l'ai rapporté pour que vous ne le cherchiez pas.

— C'est très gentil, a dit papa. Dis merci, Sofia.

— Tu n'aurais pas dû aller à l'école avec ce cartable cassé, a soupiré Mamie. Demain, tu prendras ton sac de toile.

— Jamais de la vie !

Tous les regards se sont tournés vers moi.

— C'est-à-dire… Je l'ai perdu.

— Allons, trêve de sottises, a dit Mamie. Il n'est pas perdu. Et va donc enfiler une tenue décente, ma chérie.

— Je n'ai rien de propre à me mettre.

Elle m'a fait les gros yeux.

— Sofia ! Qu'est-ce que tu as ce soir ? Il y a au moins dix robes qui attendent sur des cintres dans ta penderie. Va t'habiller tout de suite !

Mamie sort rarement de ses gonds, mais quand elle prend ce ton, mieux vaut ne pas discuter.

J'ai tenté ma chance auprès de Papy.

– Papy, s'il te plaît, je peux garder mon déguisement ?

– Taratata, ma belle ! Obéis à ta mamie.

J'ai supplié papa du regard.

– Monte, Sofia. Et au trot.

J'ai gravi les premières marches à la vitesse d'un escargot. Et je me suis arrêtée au milieu de l'escalier pour tendre l'oreille.

– C'est curieux, ça ne lui ressemble pas du tout. Elle qui est si obéissante d'habitude.

– Elle a été un peu perturbée ces temps-ci. Est-ce qu'elle a eu un comportement étrange à l'école, mademoiselle Smith ?

– Eh bien, oui. A dire vrai, je ne la reconnais plus. D'habitude, c'est une petite fille adorable, très gaie, une élève modèle. Mais bien sûr, elle a dû faire face à une terrible épreuve… Cette perte douloureuse…

– Cette perte ? a répété papa. Mais rien ne dit que Mabel est morte.

– Nous avons placé des avis de recherche dans tout le quartier…

– Elle peut encore revenir. Il est trop tôt pour perdre espoir. Même si c'est la première fois qu'elle fait une fugue.

– Mais… je croyais… Sofia m'a dit…, a balbutié Mlle Smith. Alors sa mère a quitté la maison ?

– Sa *mère* ? s'est exclamé Mamie. Non,

non, ma fille est décédée depuis des années.
A la naissance de Sofia.

— Elle a parlé de sa maman à l'école ? a
demandé papa. Parce que la nuit dernière, je
crois qu'elle a rêvé d'elle. Ça me tracasse
beaucoup. D'ailleurs, vous pouvez peut-
être nous aider. Nous n'avons jamais su
comment aborder la question avec elle…

— C'est trop douloureux, a expliqué
Mamie.

— Vous comprenez, elle n'a jamais connu
sa mère.

— Je vois, a dit Mlle Smith, alors que de
toute évidence elle nageait encore en plein
brouillard. Mais alors… qui est Mabel ?

— Mabel ? C'est notre chat.

J'ai laissé échapper une sorte de gémisse-
ment. Mamie a bondi dans le vestibule.

— Sofia ! Tu écoutes aux portes maintenant ? Je t'ai dit d'aller te changer !

— Je ne peux pas, Mamie !

— Mais qu'est-ce que tu as aujourd'hui ?
Pourquoi me fais-tu une scène devant Mlle

Smith ? Et d'abord qu'est-ce que tu marmonnais toute seule dans ton coin ?

J'ai baissé la tête, incapable d'expliquer. Mamie a soupiré. Puis elle m'a prise par le bras et m'a traînée à l'étage.

– Non, Mamie ! S'il te plaît ! Non !

Je me suis mise à pleurnicher en comprenant où elle m'emmenait. Elle m'a poussée dans la chambre. Elle a repris son souffle. Elle a humé l'air.

– Qu'est-ce que c'est que cette odeur ?

– Je… Je ne sais pas.

C'était mon plus gros mensonge à ce jour, parce que je savais, sans l'ombre d'un doute.

Mon regard a coulé vers la penderie. Celui de Mamie a suivi le même chemin. Elle s'est avancée d'un pas.

– Non !

Mais elle a ouvert la porte en grand, pour reculer aussitôt, suffoquée.

– Oh mon Dieu ! Qu'est-ce que… ?

En se penchant, elle a vu le sac de toile au fond.

– Voilà ton sac de piscine ! C'est de là que vient cette infection ? Ne me dis pas que tu as laissé tes affaires mouillées tout ce temps ?

Elle a saisi le sac, elle l'a sorti au grand jour, elle a défait le nœud… et vidé le contenu sur la moquette.

Puis elle s'est mise à hurler. Encore et encore. Papa s'est précipité. Mlle Smith s'est précipitée. Papy est arrivé à son rythme.

Mamie a crié longtemps. Même quand on l'a installée toute tremblante dans un fauteuil du salon, et que Mlle Smith lui a servi une tasse de thé corsé, elle était encore secouée de hoquets.

Papa et Papy ont failli s'étrangler eux aussi en fourrant la pauvre Mabel dans un grand sac poubelle en plastique noir pour la transporter dehors. Puis ils se sont lavé les mains à grandes eaux.

J'ai tellement pleuré que le devant de mon costume de fée en était tout trempé.

Mlle Smith a refait du thé quand papa et Papy sont revenus dans le salon.

— Pardonnez-moi, a gémi Mamie entre deux hoquets. J'aurais dû préparer le thé. Mon Dieu, qu'allez-vous penser de nous ?

Papy a tenté de détendre l'atmosphère :

— On peut dire qu'en rapportant ce porte-monnaie, vous en avez eu pour votre argent !

— Sofia ? a dit Papa.

Tous les regards se sont braqués sur moi. Mes larmes ont redoublé.

— Allons, ne pleure pas comme ça, ma puce. Je ne suis pas en colère. Seulement… intrigué. Pourquoi as-tu caché Mabel dans ce sac de toile ? Et pourquoi l'as-tu emmaillotée comme ça ?

— Ça ressemblait à un bandage, a dit Papy. Tu as cru que tu pouvais la soigner, c'est ça ?

— Un bandage ! a répété Mlle Smith.

Elle m'a regardée. Je l'ai regardée.

— Oh, mais bien sûr, je comprends tout… Tu as essayé de momifier Mabel !

## CI-GÎT MABEL

La vérité est sortie au grand jour. Mamie ne décolérait pas, elle se demandait comment j'avais pu faire une chose aussi stupide et dégoûtante. Papy pouffait de rire dans son coin. Quant à papa, il était fâché parce que je n'avais rien dit au moment où j'avais trouvé Mabel.

– Je ne pouvais pas ! Elle était morte. Quand quelqu'un est mort, on ne parle plus jamais de lui parce que ça fait de la peine à tout le monde. Et puis les morts, on les enterre, et je ne pouvais pas enterrer Mabel parce qu'elle a peur dehors et elle n'aurait pas aimé être enfouie sous la terre sale, avec tous ces vers qui grouillent.

Je croyais qu'ils allaient me gronder d'avoir crié ainsi. Mais pas du tout ! Ils tombaient des nues. Puis ils ont tous été très gentils. Mamie m'a prise sur ses genoux, Papy a promis qu'il me donnerait sa boîte à outils en guise de cercueil et que Mabel serait bien à l'abri dedans. Mlle Smith a dit que je pourrais peindre des signes égyptiens dessus, comme sur un sarcophage. Il paraît

que les premiers Égyptiens se servaient de caisses en bois du même genre. D'après Mlle Smith, si je dessinais de grands yeux sur le côté, Mabel pourrait regarder à l'extérieur. Et je n'aurais qu'à ajouter une petite porte pour que son esprit puisse entrer et sortir du cercueil.

– Comme une chatière, ai-je dit en me mouchant.

– Exactement.

Mlle Smith m'a embrassée. J'avais l'impression qu'elle n'était plus vraiment ma maîtresse mais un membre de la famille.

Papa a eu un petit mot en privé avec elle. Je n'ai pas pu entendre grand-chose, sauf vers la fin. Mlle Smith a dit que j'étais son élève préférée. Pour de vrai ! J'aimerais bien le répéter à Sophie, à Laura et à Aaron. Et surtout à Moyra. Mais c'est un secret. Et je n'ai pas envie que Mlle Smith révèle mon  secret à toute la classe.

Après le départ de Mlle Smith, Mamie a entrepris une longue séance de nettoyage dans la penderie, à coups de brosse et de désinfectant, tandis que mes vêtements tourbillonnaient dans la machine à laver. Papy a vidé sa boîte à outils, il l'a nettoyée et poncée pour qu'elle soit bien lisse et que je puisse dessiner dessus.

Papa m'a aidée à peindre. Il se faisait tard mais nous savions tous que Mabel ne pouvait pas attendre plus longtemps son inhumation. Il me fallait une tenue plus

sobre que mon costume de fée. Comme toutes mes affaires étaient dans la machine, je me suis drapée dans un vieux tissu de Mamie que j'ai attaché avec le ruban violet d'une boîte de chocolats. J'avais presque l'air d'une Égyptienne.

Papa et Papy ont emporté la boîte au jardin. Ils n'ont pas voulu me laisser approcher quand ils ont placé Mabel dans son nouveau cercueil. Ils n'ont pas voulu non plus que je lui donne un baiser d'adieu. Alors je suis allée devant la cheminée du salon, sur le tapis où des poils de chat restaient accrochés. Je me suis agenouillée pour embrasser l'endroit où Mabel posait la tête.

Papa et Papy m'ont appelée. Mabel était couchée dans la boîte. Il flottait une drôle d'odeur dans le jardin mais on n'y pouvait rien. Papa avait déjà commencé à creuser un grand trou au pied du pommier. Papy lui a donné un coup de main. J'ai pris ma pelle de bébé pour me joindre à eux, mais je n'ai réussi qu'à salir ma toge. Comme la nuit était tombée, je ne voyais pas s'il y avait des vers. Après tout, c'était aussi bien ainsi.

Il a fallu une éternité pour dégager un trou assez profond. Mamie est sortie me dire que je ferais mieux d'aller me coucher et qu'on pouvait enterrer Mabel demain matin, maintenant qu'elle était dans sa boîte, mais papa a répondu que la cérémonie devait avoir lieu sans tarder.

Lorsque le trou a été assez grand, lui et Papy y ont déposé la boîte. Papy m'a permis de cueillir quelques-unes de ses roses. J'ai fait tomber une pluie de pétales sur le cercueil de Mabel.

— Tu veux peut-être dire quelques mots, Sofia ? a demandé Papa.

— Chère Mabel, je t'aime très fort et je suis désolée de t'avoir grondée. Sois heureuse dans l'au-delà et si tu peux, reviens me voir d'un coup d'ailes. Tu es la plus belle chatte du monde et j'aurais tant voulu te garder, comme une vraie momie…

Les larmes m'ont empêchée de continuer.

— Mais ton souvenir restera intact dans nos cœurs, a conclu papa.

Il a jeté une poignée de terre sur la boîte jonchée de pétales. Papy en a fait autant. Ils se sont tournés vers moi.

— On est vraiment obligés de l'enterrer ? ai-je demandé.

— C'est comme si on plantait un bulbe, a dit Papy. Au printemps, ici, grâce à Mabel, des fleurs magnifiques vont pousser…

J'ai eu un frisson. A mes yeux, Mabel ne ressemblait en rien à un bulbe. Et je ne voulais pas qu'elle se transforme en fleurs. Je voulais qu'elle renaisse comme avant, pour que je puisse la prendre dans mes bras et l'aimer pour toujours.

— On ne pourrait pas la garder dans la boîte maintenant ?

— Tu sais bien que c'est impossible.

— L'important, c'est qu'elle soit à l'abri et bien tranquille, a dit papa. Mais je sais ce que tu ressens, Sofia. Quand… quand ta mère est morte… l'enterrement a été le moment le plus pénible.

Il m'a pris la main et l'a serrée fort.

— Mais il faut le faire et il n'y a pas de meilleure façon de s'y prendre. Mabel va beaucoup te manquer. Elle va tous nous manquer. Mais peu à peu la douleur s'atté-nuera.

— Papa, tu as toujours de la peine pour maman ?

— Souvent, oui. Mamie aussi. Et Papy. Mais malgré le chagrin, il y a aussi des moments où je suis heureux. Et tu le seras aussi, promis. A présent, disons adieu à Mabel.

– Adieu, Mabel.

J'ai pris une poignée de terre que j'ai saupoudrée sur le cercueil.

Puis je suis rentrée à la maison pendant que papa et Papy finissaient d'ensevelir Mabel.

Mamie était en train de mettre un deuxième paquet de mes vêtements dans la machine à laver. Elle m'a regardée en secouant la tête.

– Franchement !

Mais ensuite elle m'a prise dans ses bras et m'a préparé un grand bol de chocolat chaud parce que j'avais pris froid à rester si longtemps dans le jardin.

Quand je suis montée, ma chambre sentait le désinfectant à plein nez. J'ai regardé la penderie vide. J'avais tellement de regrets. J'aurais voulu garder la momie de Mabel. J'aurais voulu qu'elle soit encore en vie. Je n'aurais jamais dû être aussi injuste avec elle. J'étais triste… mais je me sentais apaisée.

Le lendemain à l'école, je n'ai pas raconté ce qui s'était passé à Sophie, ni Laura, ni Aaron. Et je me suis bien gardée d'en parler à Moyra. Sophie m'a demandé tout de suite si Mabel était revenue. J'ai inspiré un grand coup.

– Oui. Je l'ai trouvée. Elle était morte. On l'a enterrée dans le jardin.

Sophie a passé un bras sur mes épaules. Laura aussi. Avec un air gêné, Aaron a dit qu'il était vraiment désolé. Moyra m'a assommée de questions. Elle voulait savoir où j'avais trouvé Mabel et si elle avait déjà commencé à se décomposer.

– Arrête, Moyra. Je n'ai pas envie d'en parler.

Sophie, Laura et Aaron lui ont dit de se taire, eux aussi. Alors elle s'est tue.

A mon grand soulagement, Mlle Smith n'a pas prononcé un mot sur Mabel en classe. Elle n'a rien fait qui puisse laisser paraître que j'étais sa chouchoute. Elle se comportait comme n'importe quelle maîtresse, au point que j'en étais presque déçue, mais quand la cloche a sonné, elle m'a demandé de venir la voir.

– Je me demande ce qu'elle te veut, a soufflé Carole.

– J'espère qu'elle ne va pas te gronder, a dit Laura.

– J'espère que si, a dit Moyra.

– J'espère surtout qu'elle ne va pas te retenir longtemps, a dit Aaron. Il faut que tu viennes au parc aujourd'hui, ça fait une éternité que tu n'y es pas allée.

Mlle Smith ne m'a pas gardée bien longtemps. Elle m'a souri et m'a demandé gen-
timent comment j'allais.

— J'ai encore un peu de chagrin pour
Mabel.

— C'est normal. Tiens, je t'ai trouvé
un livre qui explique tout sur le *Livre des
morts* égyptien. C'est rempli de formules
magiques et de prières.

— Il y en a pour les chats ?

— Je n'en sais rien. Tu peux peut-être en
inventer une. Tu n'auras qu'à l'écrire de ta
plus belle plume et dessiner Mabel à côté.
Que dirais-tu de lui consacrer un petit
livre ? Tu pourrais y coller des photos,
raconter les moments de joie que vous avez
partagés. Ce serait un bon moyen d'entrete-
nir son souvenir.

— J'aime bien cette idée !

Puis j'ai ajouté timidement :

— Et je vous aime bien aussi, mademoiselle Smith. En fait, vous avez toujours été
ma maîtresse préférée.

Mlle Smith a ri et elle a rougi puis elle m'a dit de filer.

Je suis allée au parc avec Mamie, Aaron, la maman d'Aaron, sa petite sœur Aimée et Réglisse.

En chemin, nous avons croisé des affiches de Mabel. J'ai baissé la tête, le cœur gros, mais dans le parc Réglisse a pris la balle d'un petit garçon et il ne voulait pas la rendre et nous avons dû lui courir après et c'était tellement drôle que j'en ai presque oublié Mabel.

Ça m'est revenu à notre retour. Je suis allée au fond du jardin, je me suis agenouillée devant sa tombe et je lui ai parlé à voix basse. La terre était bien tassée. Son esprit ne s'était sans doute pas encore envolé.

Papy m'a demandé de rentrer mais je ne voulais pas. Alors il est sorti me tenir compagnie un moment. Puis papa nous a rejoints dans le jardin et il a posé un bras sur mes épaules.

– Papa ! C'est le troisième jour de suite que tu rentres de bonne heure !

– Dorénavant, je vais essayer de rentrer tôt tous les soirs. Je crois que nous avons besoin de nous voir plus souvent, Sofia. Tu sais, c'est idiot de ma part, j'ai passé tout mon temps à pleurer la mort de ta maman, alors que je devrais me réjouir de t'avoir, toi.

Il a récité sa tirade comme s'il l'avait répétée pendant tout le trajet du bureau à la maison, mais c'était quand même agréable à entendre.

Il m'a demandé si Mlle Smith avait dit quelque chose à l'école et je lui ai parlé de cet album consacré à Mabel.

– C'est une merveilleuse idée ! Tu as de la chance d'avoir une maîtresse aussi formidable, Sofia. Demain, c'est samedi, nous irons acheter un album pour Mabel.

# LE LIVRE ÉGYPTIEN
# DE MABEL

En fin de compte, on a acheté deux grands cahiers vierges. Un pour Mabel. L'autre pour maman.

– Tu peux écrire sur celui de Mabel toute seule, a dit papa. Et nous travaillerons ensemble sur celui de maman, juste toi et moi. Je veux que tu saches tout sur elle.

– Ça ne t'ennuie plus de me parler d'elle ?

– Non, au contraire. Je crois que c'est nécessaire. J'aurais dû le faire beaucoup plus tôt.

– Je peux aussi en parler à Papy et Mamie ?

– Je ne suis pas sûr que ce soit une très bonne idée. Mamie a encore trop de chagrin.

– C'est Mlle Smith qui t'a dit de me parler de ma maman ?

Papa a rougi.

– Eh bien… C'est-à-dire… oui, en fait, c'était son idée.

– Elle a de bonnes idées, pas vrai ? Je l'aime beaucoup. Tu l'aimes bien, toi aussi, papa ?

– Euh… Oui, elle me plaît beaucoup.

Il est devenu encore plus rouge. Puis il a souri. Je lui ai rendu son sourire.

Nous avons travaillé tout le week-end sur nos albums.

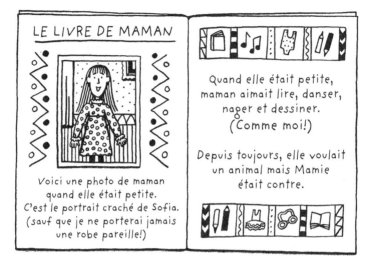

LE LIVRE DE MAMAN

Voici une photo de maman
quand elle était petite.
C'est le portrait craché de Sofia.
(sauf que je ne porterai jamais
une robe pareille!)

Quand elle était petite,
maman aimait lire, danser,
nager et dessiner.
(Comme moi!)

Depuis toujours, elle voulait
un animal mais Mamie
était contre.

Elle a dû attendre d'être adulte
et mariée à papa.

Alors ils ont adopté Mabel.

(Le plus
beau chat
du monde.)

maman et papa voulaient
des enfants. Sur cette photo,
maman a l'air très heureuse
parce qu'elle attendait
un bébé.
(Moi!)

LE LIVRE DE MABEL

Voici Mabel.
C'était la plus belle chatte
du monde
et je ne l'oublierai jamais.

Mabel a vécu très, très vieille.
Je ne la connaissais pas
quand elle était un chaton.
Elle est mignonne, non?

Devinez quoi ? J'ai un chaton !

Dimanche, Carole est passée avec ses parents pour me dire que je pouvais choisir un de leurs chatons. D'abord, j'ai hésité. J'avais très envie d'un chaton mais j'avais l'impression de trahir Mabel.

— Je comprends, Sofia, a dit papa. Mais ce n'est pas parce que tu as aimé très fort un chat que tu ne peux plus jamais, jamais en aimer un autre. Si j'étais toi, je m'empresserais de dire : « Oui, merci. »

Alors je suis allée chez Carole et nous avons passé un long moment à jouer avec Champion, Terrible, Baby et Chic.

Ils étaient tous si mignons. Champion commence déjà à grimper aux rideaux ! De plus en plus intrépide, Terrible s'amuse maintenant à chasser la grenouille mécanique. Chic est sans doute le plus élégant, presque maniéré : il faut le voir s'étirer comme s'il posait devant les photographes. Mais Baby est le plus craquant de tous.

– Choisis celui que tu veux, a dit Carole. Mais j'espère que tu ne vas pas prendre Champion parce qu'il est trop chou. Et Terrible est trop drôle. Et Chic a trop de classe.

Je n'ai eu aucun mal à choisir. Je voulais Baby ou rien.

Et voilà. Maintenant j'ai mon propre chat et j'en suis folle. Je vais bien m'occuper de lui et je ne crierai jamais après lui. J'espère qu'il vivra très, très vieux. Mais une chose est sûre. Jamais je n'aimerai Baby autant que j'ai aimé ma chère Mabel…

FIN

**Jacqueline Wilson** est née à Bath, en Angleterre, en 1945. Fille unique, elle se retrouvait souvent livrée à elle-même et s'inventait alors des histoires. A seize ans, elle intègre une école de secrétariat quand elle repère une annonce de recrutement pour une jeune journaliste et décide de tenter sa chance. Il s'agit d'un groupe de presse qui lance un magazine pour adolescentes auquel on donne son prénom, Jackie. Après son mariage et la naissance de leur fille, Emma, la famille s'installe à Kingston (Surrey). Jacqueline Wilson travaille alors en free-lance pour différents journaux. A vingt-quatre ans, elle écrit une série de romans policiers pour adultes puis se lance dans l'écriture de livres pour enfants, ce qui avait toujours été son rêve. Elle a publié à ce jour plus de soixante-dix livres pour enfants, traduits en plus de dix-huit langues et récompensés par de nombreux prix littéraires. Aux Éditions Gallimard Jeunesse, elle a déjà fait paraître : *Ma chère momie, Le site des soucis* (Folio Cadet), *La double vie de Charlotte, A nous deux ! Maman, ma sœur et moi, A la semaine prochaine, Poisson d'Avril, La fabuleuse histoire de Jenny B., Secrets* (Folio Junior) et *Mon amie pour la vie* (Hors-série littérature).

**Nick Sharratt**, auteur-illustrateur de livres pour enfants, est né à Londres en 1962. Il travaille pour la presse, l'édition et collabore à tous les livres de Jacqueline Wilson. Ses dessins, pleins d'humour et de fantaisie, s'harmonisent parfaitement au style de chacun de ses livres.

LES GRANDS AUTEURS
POUR ADULTES
ÉCRIVENT
POUR LES ENFANTS

**BLAISE CENDRARS**

**Petits contes nègres pour
les enfants des Blancs,** 224
illustré par Jacqueline
Duhême

**ROALD DAHL**

**Les souris tête en l'air
et autres histoires
d'animaux,** 322

**Un amour de tortue,** 232